D0267741

Slaap lekker, prinses

Lida Dijkstra

Marja Meijer

AFGESCHREVEN
Bibliotheek Heerenveen

Maretak

Schelpjesboeken zijn bestemd voor kinderen die net kunnen lezen. De boeken vormen een overgang van het prentenboek naar het leesboek: de illustraties vormen een wezenlijk onderdeel van het verhaal. Auteur en illustrator zien het als een uitdaging om een *Schelpjesboek* tot een stimulerende leeservaring te maken.

© 2006 Educatieve uitgeverij Maretak, Postbus 80, 9400 AB Assen
© 2006 Lida Dijkstra (tekst)

Tekst: Lida Dijkstra
Illustraties: Marja Meijer
Vormgeving: Gerard de Groot
ISBN-10: 90-437-0306-0
ISBN-13: 978-90-437-0306-2
NUR 140
AVI 3

Alle rechten voorbehouden. Niets uit deze uitgave mag worden verveelvoudigd, opgeslagen in een geautomatiseerd gegevensbestand, of openbaar gemaakt, in enige vorm, of op enige wijze, hetzij elektronisch, mechanisch, door fotokopieën, opnamen, of op enig andere manier, zonder voorafgaande schriftelijke toestemming van de uitgever.

Voorzover het maken van kopieën uit deze uitgave is toegestaan op grond van artikel 16B Auteurswet 1912 j° het Besluit van 20 juni 1974, St.b. 351, zoals gewijzigd bij het Besluit van 23 augustus 1985, St.b. 471 en artikel 17 Auteurswet 1912, dient men de daarvoor wettelijk verschuldigde vergoedingen te voldoen aan de Stichting Reprorecht (Postbus 3060, 2130 KB Hoofddorp).
Voor het overnemen van (een) gedeelte(n) uit deze uitgave in bloemlezingen, readers en andere compilatiewerken (artikel 16 Auteurswet 1912) dient men zich tot de uitgever te wenden.

1 Ik wil slapen

Het is nacht.
Buiten schijnt de maan.
Maar in het paleis brandt licht.
De lakei, de kok en de nar
zitten in de keuken.
Achter een glas melk.
Ze zijn erg moe.
Maar ze kunnen niet slapen.
Dat is de schuld van de prinses.

Prinses Noor heeft hen wakker gegild.
Ze was kwaad.
Omdat zij niet kon slapen.
Nu al voor de tiende nacht.
Een hele tijd lag ze in bed.
Met haar ogen dicht.
Maar dat hielp niet.

Toen is ze gaan krijsen:
'Ik wil sla-pen, ik wil sla-pen!'
Heel hard.
Tot de lakei, de kok en de nar
ook wakker waren.
En bij haar kwamen.
De lakei nam warme melk mee.
Zoals elke nacht.
Maar dat hielp niet.
Zoals elke nacht.

Nu zitten ze in de keuken.
De lakei, de kok en de nar.
'Wat moeten we toch met de prinses?',
vraagt de kok.
'Hoe krijgen we haar in slaap?'
Ze denken diep na.
'Met een slaaplied', zegt de nar opeens.
Hij staat op.
En hij belt iemand.

2 Een koor

Noor zit in bed.
Met een kwaad gezicht
luistert ze naar een koor.
Dat staat in de hoek
van haar kamer.
Het koor zingt liedjes.
Heel zacht.
Over wolkjes.
En schaapjes.
Over moe en oogjes toe.
Maar Noors oogjes gaan niet toe.
Ze is nog zo wakker als wat.
Het slaaplied helpt niet.
Tenminste ... niet voor haar.
Wel voor de nar.
Die slaapt tegen de muur.
En de kok in een stoel.

De lakei is zo moe
dat hij dubbel ziet.
Twee bedden.
Twee boze Noors.

3 Een armband

Nu is het ochtend.
De kok maakt ontbijt.
'Noor ligt nou al tien nachten wakker',
zegt hij.
'Dat is niet gezond.
En ik word er gek van.
We moeten iets verzinnen.'
De nar knikt.

'Bel de tv', zegt hij.
'Doe een oproep.
Wie de prinses in slaap krijgt,
wint iets.
Een gouden armband of zo.'
De kok knikt.
'Goed plan.'
'Ik regel het meteen', zegt de lakei.

4 Een rij

De oproep heeft gewerkt.
Die avond staat er een rij voor het paleis.
Van wel veertig mensen.
De lakei loopt er langs.
'Ik krijg de prinses wel in slaap',
zegt een man met een fluit.
Een man met een knuppel roept:
'Ik wil een gouden armband.
Neem mij!
Ik mep haar wel in slaap.'
Dat lijkt de lakei geen goed plan.
Hij kijkt rond.
Dan wijst hij naar een vrouw.
Ze heeft grijs haar.
En een klokje aan een touw.
'Komt u maar mee', zegt de lakei.

5 Kijk naar het klokje

Noor zit al weer in bed.
Met haar neus in de lucht.
Ze vindt het niks.
Dat plan van de nar.
Rare mensen aan haar bed.
Bah!
De lakei komt binnen.
Met de vrouw.
'Doe uw best', zegt hij.
'Breng de prinses in slaap.'
De kok en de nar zitten achter een plant.
Ze kijken stiekem toe.

De vrouw gaat voor Noor staan.
Ze houdt de klok in de lucht.
Vlak voor Noors neus.
'Kijk naar het klokje', zegt ze.

'Maar houd uw hoofd stil.'
Noor doet het.
De klok gaat heen en weer.
Heen en weer.
Noors ogen gaan heen en weer.
Tot ze scheel ziet.
'U krijgt slaap', zegt de vrouw.
'Sláááp.
Heel veel sláááp.
Uw armen worden lóóóm.
Uw ogen worden zwáááár.'
Uw ...'
Er klinkt een bonk.
Noor schrikt er van.
Ze kijkt om.
De lakei ligt op de grond.
Hij slaapt als een os.
En wat is dat daar?
Daar achter de plant.
Zijn dat de kok en de nar?

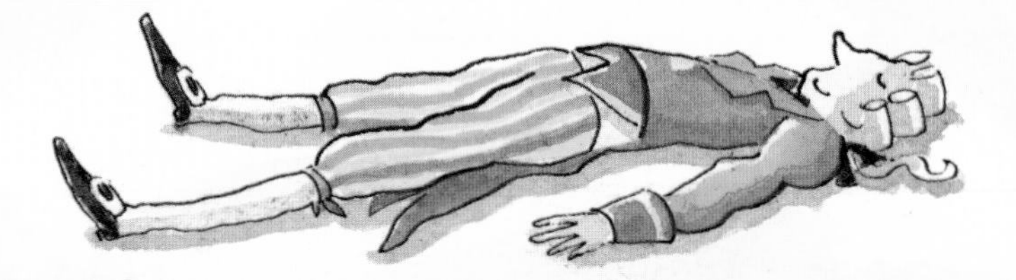

6 Een heel oud lied

Het is al weer avond.
De lakei loopt langs de rij.
'Neem mij!',
roept een man met een hamer.
De lakei schudt zijn hoofd.
Hij neemt de man met de fluit.
Samen gaan ze de trap op.
Naar de kamer van Noor.
De man gaat naast het bed zitten.
Met zijn benen in de knoop.
'Ik fluit u in slaap', zegt hij.
'Met een heel oud lied.
Slaap lekker, prinses.'
De man zet de fluit aan zijn mond.
Er klinkt een sloom lied.
Erg vals ook.
Noor staart naar de muur.

Ze vindt er niks aan.
En ze krijgt ook geen slaap.
De man blaast harder.
Zijn hoofd wordt rood.
De fluit klinkt steeds valser.
Opeens kan Noor
er niet meer tegen.
'Stop!', roept ze.
'Kent u geen ander lied?'
De man schudt zijn hoofd.
'Geen slaaplied', zegt hij.
'Wel iets anders?'
De man knikt.
'Ik ga vaak naar feestjes.
Daar maak ik ook muziek.'
'Speel dat dan!', roept Noor.
De man zet de fluit weer aan zijn mond.
Nu speelt hij een blij lied.
'Dit ken ik', roept Noor.
'Het is een hit van K3!'

Ze stapt uit bed.
En ze begint te dansen.
'Doe eens mee!', zegt ze.
De lakei klapt in zijn handen.
De kok en de nar springen op en neer.
Het wordt een dolle nacht.
Maar Noor slaapt niet.

7 Rennen door de nacht

De derde nacht.
Ditmaal kiest de lakei een jongen.
Hij heeft een bal bij zich.
Hij loopt naar Noors bed.
'Hoi', zegt hij.
'Ik heet Tim.
We gaan naar buiten.'
'Hoezo?', vraagt Noor.
'U sport niet genoeg.
Daarom bent u niet moe.
En daarom slaapt u niet.
We gaan rennen.
Trek maar wat aan.'
'Goed', zegt Noor.
Ze springt uit bed.
'Ho, ho', zegt de lakei.
'Dat gaat zo maar niet.

Een prinses rent niet door de nacht.'
'Aaah, waarom niet?', zegt Noor.
'Dat is niet veilig', zegt de lakei.
'Straks wordt u ontvoerd.'
'Ga dan mee', zegt Noor.
De lakei schrikt.
'Mee?'
Tim knikt.
Hij wijst naar de kok en de nar.
'En jullie ook.
Sporten is gezond.'
Noor kleedt zich snel aan.
'Kom op!', roept ze.
'We gaan met zijn allen.'
'Ik weet niet ...', zegt de lakei.
'Je wilt toch dat ik slaap?',
vraagt Noor streng.
'Jawel', zegt de lakei.
'Dan gaan we rennen', zegt Noor.
'Wie het laatst buiten is, is een slak.'

8 Nog geen slaap

Noor heeft veel lol.
Ze rennen door het park.
Tim gaat voorop.
Dan zij.
Dan de nar en de kok.
Daarna een hele tijd niks …
En dan de lakei pas.
Zijn hoofd is paars.
En hij puft als een stoomboot.

‘Ik kan niet meer!’, zeurt hij.
‘Ik wil naar het paleis terug.’
‘Doe niet zo duf’, zegt Noor.
‘Ik wil nog voetballen.
Tim, pak je bal.’

Ze kiezen vier bomen uit.
Dat zijn de doelen.

Ze maken twee groepen.
Tim en Noor.
Tegen de kok en de nar.
De lakei ligt in het gras.
Al snel staan Noor en Tim
vier punten voor.
Dan schopt Noor de bal ver weg.
In de struiken.
Ze moet hem zoeken.
Ze kruipt over het mos.
'Miauw', hoort ze dan.
Daar zit een wit poesje.
Noor aait haar.
De poes likt haar hand.
'Je bent lief', zegt Noor.
'Maar ik heb geen tijd voor je.
Ik ben aan het voetballen.'

Ze spelen nog een uur.
Dan gaan ze weer naar het paleis.

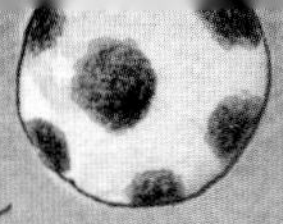

Tim is erg moe.
En de lakei, de kok en de nar ook.
Noor niet.
Ze rent vooruit.
Ze rent weer terug.
Ze ziet niet dat ze worden gevolgd.
'Het was leuk', zegt Noor.
'Maar ik heb nog geen slaap.'
Tim gaapt.
'Ik wel', zegt hij.
'Kruip maar in bed.
En probeer toch maar te slapen.'

9 Het witte poesje

Noor wast zich.
En ze klimt in haar bed.
Daar ligt ze.
Zo wakker als wat.
Wat is er toch mis met haar?
'Miauw!', hoort ze dan.
Er tikt iets tegen de ruit.
Noor staat op.
Ze ziet het witte poesje.
Ze schuift het raam open.
'Dag witje', zegt ze.
'Wat doe jij hier?'
De poes miauwt.
Noor streelt haar vacht.
'Kom je even binnen?'
Ze tilt het poesje op.
Een ruwe tong likt haar hand.

Noor lacht.
'Dat kriebelt', zegt ze.
'Kom, we gaan kroelen.'
Ze zet de poes op haar bed.
En ze gaat naast haar liggen.
De poes geeft kopjes.
Ze kruipt dicht tegen Noor aan.
Noor hoort iets.
Prrr, prrr, prrr ...
Het komt uit de buik van de poes.
Die bromt zacht.
Prrr, prrr, prrr ...
Wat een fijn geluid.
Noor krijgt er slaap van.
Maar dat heeft ze niet door.
Prrr, prrr, prrr ...
Zacht glijdt ze weg.
Tot ze slaapt als een roos.
Eindelijk!

10 Noor snurkt

Het is nacht.
Buiten schijnt de maan.
Maar in het paleis brandt licht.
De lakei, de kok en de nar
zitten in de keuken.
Achter een glas melk.
Ze kunnen niet slapen.
En dat is de schuld van de prinses.

O nee.
Ligt Noor toch weer wakker?
Heeft ze al weer iedereen uit bed gegild?

Nee hoor.
Dat is het niet.
Noor ligt nooit meer wakker.
Niet sinds het poesje bij haar slaapt.

Maar Noor snurkt.
Zó erg.
Zó luid.
Dat het paleis ervan trilt.
En daarom doen de lakei, de kok en de nar
wéér geen oog dicht.